Papelucho

mi hermana Ji

Editorial Sudamericana

Ilustraciones
Alex Pelayo R.

Diseño de portada
Carola Undurraga D.

Diagramación
Proyecta Ltda.

Producción
Marcela Verdugo T.

Impresión
Quebecor World Chile S.A.

IMPRESO EN CHILE

Primera edición en Editorial Sudamericana: noviembre de 2003
Segunda edición: mayo de 2005
Tercera edición: agosto de 2006
Cuarta edición: agosto de 2008
Quinta edición: enero de 2009

© 1974, Marcela Paz

© Ediciones Marcela Paz S.A.
edicionesmarcelapazsa@gmail.com

© 2003, Random House Mondadori S.A.
Merced 280, of. 1101, piso 16, Santiago de Chile
Teléfono: 782 8200 / Fax: 782 8210
E-mail: editorial@rhm.cl
www.rhm.cl

ISBN Nº 956-262-191-X

Inscripción en el Registro de Propiedad Intelectual Nº 45.127

EDICIÓN PROMOCIONAL. PROHIBIDA SU VENTA

ANTES, CUANDO ERA CHICO, yo quería tener una hermana menor, para poder mandarla. Pero ahora que la tengo, me arrepiento. Es completamente fatal. Porque las mujeres son fatales y también las mamás no saben educarlas. Y la prueba es que desde que tengo hermana, mis notas en el colegio son casi puros 2 o casi todos 1.

Resulta que en vez de poderla mandar, tengo que llevarme todo el día haciéndola aparecer. Porque mi hermana Ji es lo más desaparecida que hay, y también es creída. Y cuando no se cree la Caperucita Roja, se cree la Bella Durmiente o sencillamente la Cenicienta, y estrepitosamente se desaparece. Entonces a la mamá ni siquiera le importa que yo tal vez voy a hacer una tarea, sino que me implora que la busque.

—¡Mi hijito, se perdió la niña! —declama con ojos de lumbago—. Búscamela, que estoy desesperada...

—Que la busque la Domi —digo, mostrando mis cuadernos.

—Nunca la encuentra... Por favor, Papelucho, que voy a enloquecer... —y pone cara de ídem.

—Es que iba a hacer tareas.

—Las haces después, mi lindo —y asoma lagrimones. Yo pienso que para los santos milagrosos debe ser aburrido estar en el cielo y oír puras súplicas y ver puras caras rogonas. Con tal de no verlas creo que hacen el milagro.

—¿Dónde la vio usted la última vez? —le pregunto.

—Dice la Domitila que estaba comiéndose el dulce de castaña en la despensa.

—¿Qué día? ¿A qué hora y disfrazada de qué?

—Hoy mismo, hace como dos horas y podría estar creyéndose el ratón Mickey porque se había puesto tus pantalones en la cabeza...

—Entonces ¿cómo no se les ocurre que un ratón, cuando lo pillan, corre a esconderse en su cueva?

Me saco los zapatos y me trepo por el montón de botellas y mugres que guarda el jardinero. Ahí están mis pantalones, pero ya están fríos...

—Mamá, hace rato que la Ji dejó de ser ratón —le digo—. Déme otra pista.

—¡No hay otra pista! —y se retuerce las manos—. Por favor, piensa un poco, lindo. Eres el único que la encuentra, y si tú...

—No lo diga. Ya sé que se volverá loca, pero no me amenace.

Veamos qué cosas faltan...

—¿Como qué cosas faltan?

—Necesito una pista. ¿Le falta alguna ropa?

—¡Vaya uno a saberlo, entre tanta cosa!

En ese momento aparece la Domi.

—Señora, cómpreme un cedazo.

—Pero si hace apenas tres días que te compré uno.

—Pero ahora no está en ninguna parte...

—Mamá, la Ji está en la plaza —digo paulatinamente.

—¿En la plaza? ¿Cómo lo sabes?

—Falta el cedazo...

—¿Y qué tiene que ver eso?

—Estará colando guarisapos en la pileta de la plaza. ¿Para qué otra cosa sirve un cedazo?

Claro, la Ji estaba en la plaza, y además ya no era hora de ponerse a hacer tareas. Entre los guarisapos había ocho sapos saltones, resbalosos y tan difíciles de pillar que se hizo noche y se perdieron rotondamente tres.

Cuando llegamos a la casa con los cinco sapos, el cedazo y la Ji, ya la mamá tenía armado el boche y ¡claro!, la descargó conmigo. ¿Por qué —digo yo— la gente es tan injusta? La perdida era la Ji y el cedazo. Yo los encontré a los dos... ¿entonces?

—¿Por qué me castiga a mí?

—Por inconsciente. Hace dos horas que saliste a buscar a tu hermana...

—Pero la encontré al tiro. Hace dos horas.

—¿Y cómo iba yo a saber que la encontraste?

No se les ocurre nada a la gente grande. Cuando yo crezca, no pienso ser así. Pero mientras alegábamos me esta-

ban palpitando los bolsillos de mi pantalón. Los sapos se
habían puesto nerviosos.

—¡Y te vas a la cama! —ordenó la mamá con voz áspera—. ¡Y sácate las manos de los bolsillos!

Me las saqué, pero junto con sacármelas, saltaron los
sapos por todos lados. La mamá cayó desmayada en un si-
llón mientras yo con la Ji nos apurábamos en cazar los sapos
antes de que la mamá se desdesmayara.

La Ji se moría de risa; a ella todo le da risa porque es frívola. Y esto no era para reírse, porque chitas que es difícil pillar sapos sin cedazo. Porque ellos tienen los ojos justo en esa parte en que se puede ver para atrás, para adelante y para todos lados a un tiempo. También son a retroimpulso y carácter aeronáutico. Total, que mientras pillaba uno, al pillar otro se me escapaba el uno. No había solución.

—Ji, tengo una idea —le dije—. Tráeme una media de la mamá.

Ahí los fuimos echando con frecuencia modulada, hasta enterar los cinco, y cuando la mamá abrió los ojos, los sapos estaban a salvo en el clóset.

—En una de éstas me van a matar del corazón —dijo ella sujetándoselo.

—Lo malo es que en su tiempo la gente no estudiaba ciencias —le explico—. El sapo es un batracio anfibio que no daña al hombre ni a la mujer.

—Es posible que no dañe, pero da asco —alega.

—El asco es un sentimiento anticristiano —digo—. Usted le tiene asco a las arañas, a los ratones, a las cucarachas y hasta a las culebras. Podría imitar a San Francisco que era íntimo amigo con los animales.

Pero mientras conversábamos, la Ji se había desaparecido otra vez.

—Papelucho, déjate de sermones y busca a tu hermana.

—Usted me había mandado a la cama castigado —y empecé a desvestirme.

—Antes buscarás a tu hermana. No puede estar muy lejos. Estaba aquí hace un momento, cuando largaste los sapos.

—En primer lugar no los largué...

—No discutas y búscame a la niña. ¿Dónde dejaste los sapos?

—Por ahora están en tránsito.

—No sé lo que llamas tránsito, pero ahí debe estar la Jimena.

—No lo creo. Como es mujer, no le interesan los sapos.

—Di dónde puede estar...

—Tal vez en el balcón —y me metí a la cama, castigado.

Apenitas me arropé, llegó otra vez la mamá, con cara apremiada.

—Dime, Papelucho, ¿por qué pensaste que la niña estaría en el balcón?

—Porque antes yo había dicho "tengo una idea".

—¿Y eso qué tiene que ver con el balcón?

—Ella cree que las ideas andan por el aire, y seguramente le dieron ganas de tener también una.

—Realmente tú eres para mí una gran ayuda con esta criatura —dijo mamá—. Te perdono el castigo y puedes ir a comer.

Mientras me ponía los pantalones yo también la perdoné a ella y además me dio pena que jamás nunca se le ocurra cómo encontrar a su hija.

De camino al comedor, fui a ver los sapos. Se sentían muy presos y acalambrados y enredados y uno tenía parálisis y otro un tizne nervioso. Los largué en el cuarto de baño y le eché llave con la esperanza de que nadie tuviera necesidad de entrar hasta el otro día.

—San Francisco —recé—, ayúdame a cuidar mis sapos en este triste valle de lágrimas y que nadie necesite. Amén.

Apenitas me había sentado a la mesa, cuando sentí la puerta de calle y creí que era el papá. A veces le da la manía de lavarse las manos, así que volé al baño para llegar antes que él y me encerré. Los sapos me miraron contentos. Me conocen, y a su manera me pedían agua. Eché a correr la llave de la tina para que se bañaran. Por encima del ruido del agua se oían gritos llamándome. Entonces, con violencia, metí los sapos en la pileta del cuarto de baño y coloqué la tapa. ¡Ahí estaban a salvo!

—¿Estás enfermo? —preguntó la mamá cuando volví a la mesa.

—No, ¿por qué?

—Saliste tan apurado...

—No estarías bañándote... sentí correr mucha agua —dijo el papá.

—¡Se le ocurre, papá! Pero mire mis manos —y se las mostré blancas y arrugadas de puro limpias.

—Al fin aprendes que hay que venir a la mesa con las manos lavadas. Sólo hace falta que le enseñes a tu hermana —dijo la mamá.

—¿Yo? ¿Y por qué yo?

—Porque la llevas tan bien...

—Traerla, querrá decir, cuando se pierde.

—Yo no me pierdo —dijo la Ji—. Siempre sé dónde estoy.

—Es falta de educación —dijo la Domi sirviendo los porotos.

—Si tú supieras. Domitila, lo que cuesta educar a los hijos —y la mamá la miró con cara de Mater Dolorosa. Me dio pena.

—Si quiere yo se la educo —le ofrecí—, porque se ve que usted no tiene ni la mayor idea...

—Tú puedes ser su guardián —me dijo apasionadamente— y mientras lo seas no dejarás que ella desaparezca.

Yo me sentí feliz de ver que uno puede ayudar a la madre de uno, pero a la Ji le dio conmigo. Mientras comía los porotos me decía que yo era un ogro y que cada poroto era un niñito y yo me los comía con camiseta y todo. Ella ni los probó, y entonces le trajeron un huevo a la copa. Y eso es lo que la mamá ni se da cuenta, que le da gusto en todo. Así que yo le dije a la Ji:

—Si los porotos son niñitos, tu huevo es una princesa rubia y tú eres la mala bruja que se le va comer.

—Y para que veas que no soy bruja, pongo a mi princesa en las flores —y dicho y hecho, vació el huevo en el florero del comedor.

La mamá se quedó estítica y, claro enganchó primera contra mí.

—¡Papelucho, ya dejaste a la niña sin comer!

—¿Yo la dejé sin comer?

—¿Y quién otro? Decirle que era bruja si se comía el huevo...

—Mamá, la estoy educando.

—Dejar a un niño sin comer es criminal.

—¿Así que yo soy un criminal?

—No he dicho eso. Dije que dejarla sin comer es criminal. Y tampoco eres tú el llamado a educarla. Eres solamente su guardián.

Guardián. Antes me parecía como un honor, pero ahora la palabra me retumbaba en la cabeza. Por eso me fui a acostar.

Apenitas me había dormido, sentí la voz de la mamá:

—Papelucho, despierta, por favor...

Pero me acordé del "guardián" y apreté más los ojos.

—Hijito, siento tener que despertarte... —me remeció suavecito, pero no desperté. Llegó el papá, encendió la luz y me tiró las ropas para atrás.

—Papelucho, ¡despierta! —ordenó. Y desperté.

—Tu hermana se ha perdido. La hemos buscado en todas partes y no creo que tú puedas seguir durmiendo si sabes que no se encuentra.

Me senté en la cama tratando de abrir los ojos a la luz.

Eché los pies al suelo y como un autógrafo partí caminando por la senda del honor. Sentí que me seguían, y por las sombras reconocí al papá, a la mamá, a la Domi. Me daba rabia. ¿Por qué tendría la mamá tan poca confianza en el ángel de la guarda de la Ji? Y obligarlo a uno a ser guardián, hasta de noche... Todo eso me tentó de hacerlos ver lo difícil de la cuestión. Así que salí a la calle. Di vuelta a la manzana entera. Las sombras me seguían. Di otra vuelta y empezaba a dar otra más, cuando el papá me pescó de la oreja.

—¿Qué pretendes con esta ridiculez?

A la luz del farol lo miré perpetuo.

—Estoy pensando dónde debo buscarla. No tengo pista —dije.

—¡Caramba! ¿Y qué has pensado? Dilo.

—Muchas cosas. He pensado que si la Ji tiene hambre, podría estar comiendo en alguna parte. Si sigue con la idea de que los porotos son niñitos con camiseta, se habrá llevado el tarro de porotos muy lejos, para librarlos de la olla. Si todavía se cree bruja, andará a caballo en una escoba, y si se cree princesa de algún cuento...

—¡Eso! Si se cree princesa de algún cuento, ¿dónde podría estar?

—O en algún palacio de cristal o en un castillo de flores...

Bueno, y ahí estaba, de Bella Durmiente, echada encima de los pensamientos. Pero al menos se dieron cuenta de que es difícil pensar. Y la mamá me abrazó...

—¡Qué haríamos sin ti! Eres admirable —me dijo.

—¿Usted me encuentra admirable? —pregunté.

—Sí, hijo...

—Ahí tiene la prueba. Yo soy admirable y me educó muy distinto a la Ji. A mí me daba coscachos y a ella le tiene reverencia.

—Una niña es diferente, es tan sensible... Si me enseñaras tu sistema para saber buscarla.

—Es puramente cuestión que usted se crea la Ji y piense como ella. Lo que uno dice le da al tiro la idea.

—Perfectamente. Hagamos un ensayo. Ahora soy yo la Ji y tú hablas...

—Bueno... Hoy es miércoles —digo.

La mamá se queda paralela casi una hora y por fin arrisca los hombros. No hay caso, no sabe pensar en Ji.

—Has buscado lo más difícil. No sabría cómo buscarla si ella oye esa frase...

—Yo sí. Iría a la carnicería. El perro del carnicero se llama Miércoles.

—Hagamos otro ensayo —suplica la mamá.

—Que traigan pan con mantequilla —digo.

—La buscaría en la cocina —dice la mamá radiante.

—No. Habría que ir a buscarla donde el Rudi que siempre tiene mermelada en el comedor.

—Pero tú dijiste mantequilla... —alega.

—¡Claro! Pero lo que le gusta a la Ji es la mermelada.

—Trato de comprender, Papelucho. Hazme otra pregunta.

Puse cara de odio y dije con voz áspera:

—¡Tus notas están malas, Papelucho!

—La niña iría en busca de tus cuadernos.

—Todo lo contrario, mamá. Iría a la farmacia.

—¿A la farmacia? Pero ¿por qué a la farmacia?

—¡Claro! A comprar aspirina. Porque ella sabe que cuando el papá se siente mal siempre toma aspirina...

—No es fácil —dijo la mamá—. Es imposible —y me llevó a acostarme.

Esta mañana, cuando me fui al colegio, había en la puerta de la casa de enfrente un camión inmenso cargado de cajones. Los cajones tenían letreros de cuidado, atención, frágil y una pila de flechas, y venían desde Estados Unidos. Todo esos cajones quedaron como metidos en mi cabeza metida dentro de ellos. Todos el día estuve sacando aparatos fantásticos y frágiles: telescopios, cápsulas espaciales, cerebros electrónicos, ametralladoras interplanetarias... y contesté todo mal en la clase.

Cuando volví a mi casa, se había ido el camión, pero en el sitio pelado estaban tirados todos los cajones abiertos, y había cerros de papel para hacer grutas.

Me fui a ver al Jolly, mi amigo americano, decidido a formar con él la sociedad explotadora de inventos y sorpresas cooperativas trituritarias. Pero la casa del Jolly se había convertido en la feria de maravillas, porque entre todos estaban ordenando las cosas que traían esos cajones. Había desde pan de Pascua, patines eléctricos, jamones, ametralladoras de hormigas, columpio con música, jabones de batalla, etc., hasta televisor de bolsillo. Total, que se me hizo noche probando chocolates y cuestiones y la mamá de Jolly me dijo: "Good night!", cuando yo ni pensaba en irme.

—Bueno, me voy —le dije—, pero usted nos regala los cajones y todo lo que tiró al sitio del lado, ¿no?

Ella dijo: "¡Ajá!", que quiere decir conforme.

Mientras comíamos, le había dado otra vez a la mamá con el "problema" de la Ji y parece que hasta la llevó al médico, y le explicaba al papá lo que él le dijo.

—Tú quieres convencerme que es una niña de las siete lunas... —decía el papá.

—Te digo lo que me explicó el médico. Tiene complejo de evasión.

—¡El médico es un ridículo! —tronó el papá y se atoró.

—No, es siquiatra —dijo la mamá. Pero el papá estaba tan furia y tan atorado que mientras más tosía, más se enojaba, y mientras más se enojaba más tosía, y no entendía nada. Yo sí que entendí. Evasión debe ser un pecado de mujer, del verbo Eva. Cuando el papá lograba respirar decía que lo que necesitaba la Ji era mano firme. La mamá le gritaba para que la pudiera oír y él le decía a grito pelado: "¡No me grites!". Yo veía que se iban a divorciar. ¿Con quién me iría yo ahora que tengo hermana? Es tremendo tener una hermana con evasión y discutida. Resulta que uno la quiere igual que su propio yo, porque ve que al igual que a uno, no la entienden y da como congoja. Y cuando uno tiene congoja tiene que tragar y por eso me tragué todos los tallarines, que me cargan por resbalosos.

En fin, que el papá y la mamá, en lugar de divorciarse, decidieron ponerle llave a la puerta de calle por la cuestión de la Ji, y quedaron muy amigos.

RESULTA QUE ESTA MAÑANA amaneció la puerta con llave, pero la llave se había perdido sumamente. Y también la Ji. Todos habíamos quedado encerrados en la casa, menos ellas dos.

—Pero es que no es posible —lloraba mamá llamando a la ferretería por teléfono—, la llave no estaba al alcance de la niña... Mande, por favor, un cerrajero.

El papá llamaba a su oficina y decía que un "asunto" lo haría llegar tarde a la ídem; la mamá llamaba a otra ferretería; el papá llamaba a un amigo y le hablaba a todo escape porque la mamá le estaba pidiendo el fono para llamar al cerrajero. Pero ninguna ferretería tenía cerrajero y ningún cerrajero tenía teléfono.

Por fin, cuando llegó el famoso cerrajero, había dos colas de gente en la puerta de mi casa: una dentro y otra fuera. En la de adentro estaba primero el papá, la mamá, el cartero, el basurero, la Domi y yo, y en la de afuera, detrás del cerrajero estaba el almacenero, toda la familia del Rudi, un carabinero, siete curiosos y más atrás la Ji. Todos los que estaban dentro salieron furibiondos y todos los que estaban fuera entraron hablando al mismo tiempo. Cuando la mamá terminó de manosear a la Ji, ella se me acercó y me dijo:

—Toma, te traje un regalo... pa' callao —y me metió en la mano una cosita caliente. Era la dichosa llave. Si la mamá me la veía en la mano, capaz que me echara la culpa a mí... Así que con harto disimulo la tiré a la calle, y volví a entrar. Y tampoco valía la pena ir al colegio porque ya era la tarde, así que me fui a mi cuarto a escribir mi diario.

Había escrito tres páginas, cuando sentí afuera las voces de la Domi y la mamá que buscaban algo desconsoladamente. Por suerte no era la Ji la perdida, porque en ese momento entró a mi cuarto.

—¿Puedo quedarme contigo? —preguntó.

—Sí, con las manos atrás —dije, para poder seguir escribiendo.

—Tengo las manos atrás —explicó—. Oye, Papelucho...

—¿Qué?

—Yo ni sabía que la mamá tenía visitas para el té.

—Yo tampoco sabía... —seguí escribiendo.

—Yo estaba puramente mirando esos dulces que ella trajo...

—¿Con las manos atrás?

—Creo que sí. Pero llegó la Caperucita Roja y me empezó a sacar pica. ¡A que no te comes todos los alfajores! —me decía—. Y le gané la apuesta.

Dejé de escribir y la miré de hipo en hipo. Ahí estaba la Ji, con su cara barnizada y pegajosa, con bigote, barbas y anteojo de pedazos de merengue.

—Eres una avarienta —le dije— comerte todos esos alfajores.

—Sola no —dijo muy seria—. La Caperucita se comió tres.

—En ese caso no ganaste la apuesta.

—Sí la gané porque yo soy la Caperucita.

—Podías haberle dado uno al lobo...

—El lobo tenía la guata mala. ¡Te traje uno a ti! —y me acercó sus manos. Tuve que lengüetearlas y mordisquear los pedazos que tenía pegados. Lástima que debajo del merengue esas manos tenían gusto a parafina.

—¿Estuviste encerando? —le pregunté.

—¡No! Puramente me había echado crema... —rió mostrando sus dientes.

—Eres una pituca, y te vas a lavar las manos. Después vienes porque te voy a castigar.

Al minuto estaba de vuelta estilando agua.

—Vengo limpiecita para que me castigues.

—Voy a amarrarte un rato —la amenacé.

—¡Qué rico! Nadie me amarró más desde esa vez...

—¿Qué vez? —pregunté mientras le hacía nudos en las piernas y brazos con mi cordel.

—Esa vez que me colgaron en el nacimiento... ¿Te acuerdas que yo era la estrella?

—No me acuerdo. Y lo que pasa es que tú tienes delirio in stremis. A ver qué te crees ahora, ¿ah?

—Ahora soy Juana de Arco —dijo con cara de santa.

—Bueno, Juana de Arco. Te quedarás amarrada hasta que yo quiera.

—¿No me vas a quemar?

—Depende —contesté—. Por ahora te quedas amarrada hasta que yo vuelva.

Porque en ese momento me acordé del Jolly, de los cajones interplanetarios que nos había regalado su papá americano y de todo lo que íbamos a hacer con ellos y me largué a buscarlo.

Con un chocolate importado en cada mano, comiendo bien apurados para no perder tiempo, el Jolly y yo empezamos a ordenar el sitio. El cajón más grande servía para oficina-teatro cooperativo-cárcel y campo de concentración para experimentos. El largo de la alfombra para tubo de lanzamiento de cápsulas espaciales, el cuadrado para guarida contra ataques aéreos y el otro para mercado persa donde podíamos vender todas las antigüedades que había botadas en el sitio.

Con la plata que íbamos a sacar de los tarros viejos, ollas sin fondo, zapatos y cantoras antiguas, podíamos comprar bujías y otras cosas para inventos. También juntamos a un lado los ladrillos rotos que podíamos vender en liquidación, y con los papeles gruesos y brillantes hicimos varias rutas de ocasión. Pusimos un gran letrero clavado en un palo que decía: Gran Feria Libre. Todo quedó listo porque poco a poco se fueron juntando socios y éramos ocho astronautas, contando a los cinco Ulloas y a Juanete, sin contar al Clodomiro que se aturdió. Porque cuando estábamos tirando ladrillos a la liquidación, le cayó uno al Cloro y con su aturdimiento se juntó gente y hasta el farmacéutico y se lo llevó en un taxi.

En fin, que se hizo la noche y llegó la Domi a buscarme con el eterno estribo: "¡Venga al tiro que la señora está como loca porque se perdió la niña!".

Y como el ladrillazo del Cloro, me vino a la cabeza el recuerdo de la Ji amarrada. Volé a mi cuarto y la encontré durmiendo, muy feliz. La desperté, la desaté y la llevé a la rastra porque se había tullido.

La mamá me recibió nupcialmente diciendo que yo era realmente admirable, pero me cayó remal que me encontrara así porque me carga que me encuentren admirable puramente porque me había acordado de una cuestión que antes me había olvidado.

Y POR SUERTE HOY NO HABÍA COLEGIO porque era el día del trabajo. Así que cuando me remeció el Jolly esta mañana para despertarme, salté de la cama y ni siquiera me lavé porque me iba a ensuciar en el trabajo. Atravesamos la calle corriendo, pero justo en ese momento se iba una carretela llevándose el disparador de cápsulas espaciales, y aunque corrimos detrás, ni lo alcanzamos porque huasqueó los caballos y arrancaron a todito galope.

Volvimos a la feria y encontramos una hoja de cuaderno que parecía una carta y decía: "Como esta Feria es Libre, nos llevamos unas tablitas. ¡Biba la libertad!. La carta era anónima y con pésima letra.

Teníamos tanto que hacer que ligerito se nos pasó la rabia. Los Ulloa habían traído clavos y martillo y se largaron a instalar la oficina, mientras el Jolly vendía las antigüedades. Doña Petra, la señora del zapatero, dijo que era mejor vender las cantoras con plantitas, así que el Jolly partió con los Ulloa y en poco rato tenían todas plantadas con flores de su propio jardín. Y se vendieron ligerito.

Lo malo fue cuando quisimos repartirnos la plata. Eran puras dos lucas cincuenta y éramos ocho socios, sin contar al Clodomiro, que, aunque estaría en el hospital, todavía era socio.

—Apenitas alcanza pa' un helao —dijo Efrén.

—Podíamos lengüetearlo entre todos —dije yo.

—Rifémosla—dijo Efrén.

—No —dije— así queda uno contento y siete lo contrario. Mandémosle un helado al Clodomiro.

El Jolly alegó que había que capitalizar, lo que quería decir juntar plata para los inventos. Lo mejor era hacer un entierro cuando fuera la noche, dijo un Ulloa. Pero Efrén le dijo al Jolly "gringo agarrao" y el Jolly se enojó y dijo que se iba de la sociedad con todos sus cajones.

Se armó la discusión, la pelea y qué sé yo, y cuando estábamos en lo peor frenó un camión hirviendo y tiritando y escupiendo. Metía tanta bulla que no pudimos seguir peleando, y el dueño del camión se bajó a conversar.

—A ver si me venden los cajoncitos —dijo rascándose el cogote—. ¿Cuánto pide por ellos? —le preguntó al Jolly, como si fuera adivino que eran suyos; por el Jolly se quedó paralizado y no contestó.

—¿Paga al contado? —le preguntó Efrén Ulloa.

—"Cash" —dijo el camionero.

—¿Y cuánto? —pregunté yo.

—Ustedes tienen que poner el precio.

—Son importados —dijo Efrén— madera viajada...

—A mí me da igual —dijo el hombre escupiendo—
total los quiero para hacer un cuarto.

—¿Un cuarto para qué? —le pregunté. Me dio miedo
que nos quisiera robar la idea de la cooperativa...

—Pa' vivir, puh...

Me acordé de las callampas, de esos cuartos de tablas
separadas que son puras rendijas... El cajón espacial coope-
rativo serviría de buen dormitorio si le ponían ventana y
puerta. Me gustaba la idea. Pero en ese momento el camión
dio un tiritón más fuerte, un pataleo mortal y se paró el
motor. El camionero corrió a hacerlo partir antes de que se
enfriara.

—Hay que pedir recaro —dijo un Ulloa—. Una casa
vale plata, millones...

—Si ése tuviera millones arreglaría el camión —dije yo.

—Si lo vendemos se acaba la feria, los inventos, todo
—dijo otro.

—Si no lo vendemos se lo van a llevar de todos modos —dijo el Jolly. El motor del camión empezó a funcionar como un terremoto y nadie oyó más nada y cuando el dueño nos hablaba se iba poniendo colorado y colorado de gritar y nadie le entendía.

Todos chillaban, pero nada se oía. A los Ulloa les salían ampollitas de agua en la nariz y al Jolly le saltaban los ojos. Entretando el camionero desarmaba las tablas de la oficina y las echaba al camión.

El Jolly se insolentó con los Ulloa. Se creía como dueño; los Ulloa se enfuriaron y como nadie oía nada, la cosa se volvió patadas y canillazos. Yo por tratar de separarlos me quedé atónito de un solo puñete. El camionero me elevó en el aire, me palmoteó y me volvió en mí. Acercó su inmensa boca a mi inmensa oreja y me chilló adentro:

—Con usted solo me entiendo. ¿Cuánto quiere por fin?

Pero yo tenía la lengua aturdida y sangrienta, porque me la había mordido, así que ni podía explicarle que éramos socios. El camionero pescó al Jolly y el Jolly creyendo que le iba a pegar le mandó una patada. Se armó la grande porque el chofer se enrabió y de un papirote mandó lejos al

Jolly y el racimo de Ulloas que lo defendían. Entonces los Ulloa se treparon al camión y cuando puso primera partió de un brinco sin darse cuenta que junto con la casa se llevaba a los cinco Ulloa.

Jolly lloraba en el suelo donde antes estuvo nuestra oficina.

—Yo que tú me consolaba —le dije—. O se acabó el negocio para siempre o los Ulloa van a cobrar bien caro por el cajón.

Jolly seguía llorando cuando se dio cuenta de que tenía en la mano una cuestión. Era un carnet, pero no era de chofer sino que puramente un carnet de castidad de un tal Caupolicán Astudillo.

Eso lo consoló. Y nos sentamos a esperar que volvieran a buscarlo.

Pero el tal Caupolicán y los Ulloa no volvieron nunca jamás hasta que los expulsamos de la sociedad para siempre. Y cuando los expulsamos, fuimos a celebrarlo en casa del Jolly y comimos jamón importado hasta que nos dio hipo.

En la casa del Jolly estaba la Ji, haciéndose la muñeca, y mientras todos le hablaban, ella, como recién nacida, contestaba puramente "te te te te" y mostraba sus dientes de conejo subdesarrollado.

Claro que mientras tanto se iba haciendo dueña de cada cosa, de los juguetes, los caramelos y hasta de la guagua de tres meses. Porque la Ji es de esa gente que cree que nadie es dueño de nada y todo es de ella y no entiende cuando le digo que mis cuadernos son míos, y los garabatea y rompe feliz.

La Ji tenía aferrada la guagua gorda y resbalosa de ojos azules y olor de membrillo, pero se le caía de los brazos. Y la mamá del Jolly tenía angustias y terrores de los zangoloteos y apretones que le daba la Ji a su guagua importada.

—It is my baby —le decía con voz de ronda.

—It is my baby —contestaba la Ji furionda pegándole en las manos que se la querían quitar. Yo me puse delante y le hablé con voz de honor.

—¡Ji, esa guagua no es tuya y tú tampoco sabes inglés!

—What? —gritó la Ji y me miró perpetua. Luego hizo pucheros y uno tan inmenso que reventó en un llanto bastante atroz. Me dio tanta vergüenza que esa mamá americana viera llorar así a mi hermana chilena que decidí

hipnotizarla. La miré con violencia y telefoto, hasta que la Ji se esterilizó y soltó la guagua. Por suerte la mamá importada la peloteó a tiempo en sus pecosos brazos. Entonces aproveché para llevarme a la Ji a mi casa mansita y buena como una santa. Y quedó santa ese día porque ni se perdió ni robó dulces ni se creyó cosas, sino que anduvo todo el día detrás de mí como una esclava.

—Papelucho, ¿quieres que te haga un mandado? —me preguntaba a cada rato. Y yo la mandaba lejos, pero volvía.

—¿Te limpio los zapatos?

—Sí —yo estiraba la pierna y ella lustraba como verdadero lustrín.

—¿Te recojo los tornillos? —yo estaba armando la juguera, que se había trancado y tuve que desarmarla.

—¿Te recojo los vidrios? —claro, se resbaló el vaso grande de mis manos chicas, pero la Ji recogió todos los pedacitos. La Ji puede ser santa yo creo, y pienso amaestrarla, porque sería regio tener una santa hermana propia y que la pueden carbonizar. Y más vale que sea santa, ya que es mujer y ella ni tiene la culpa. Y a mí me da congoja de que no tenga remedio porque ella nació así. Y las mujeres siempre están creyéndose cosas y me parece que si la Ji no resulta como santa, al menos puede resultar como artista de teatro. Así que le escribí una comedia para que la represente. Ésta es mi comedia.

El entretecho
Comedia en tres actos inédita
Primera edición
Acto único

El escenario representa un mar embravecido. Las olas se levantan iracundas y las sirenas asoman entre miles de toninas galopantes y perseguidoras. Hay también algunos tiburones que mastican colas de sirenas fallecidas. Una gaviota en lontananza.

No se ve tierra ni árboles ni arena ni cosa alguna. Es alta mar. Muy alta. La princesa está vestida de rojo y tiene una inmensa cola radiante.

La princesa le dice al mendigo: "El tesoro de los mares es vuestro".

El mendigo: "No hay más tesoro para mí que vos. ¡Cásate conmigo!".

Princesa: "Mi madre reina quiere un rey para mí. Pero yo os amo. ¡Maldita sea mi madre y toda su descendencia!".

La princesa cae muerta y los tiburones la devoran a ella y al mendigo.

Telón.
Entrada gratis - Dos lucas por persona.

Hoy era el día de la mamá y yo no le tenía regalo. Así que decidí regalarle mi comedia representada por la Ji y el Jolly y aprovechamos que ella había salido a comprar una torta para preparar todo. La Ji y el Jolly se aprendieron al tiro sus papeles. Lo único difícil era el escenario, por eso lo dejamos para el último.

Hicimos unos cartelones grandes pintados con el rouge de la mamá y los clavamos en la puerta. Y decían así:

Hoy gran premiere a beneficio
de la Sra. Jimena Sotovela.
¡Aquí!

El Jolly hizo los programas con papel confort, que es el único que hay en esta casa, y la Ji vendía las entradas en la puerta. La gente le quedaba debiendo, pero le van a pagar después de la función.

A las siete estaba todo listo.

—Mamá, muy feliz día. Le tenemos una gran sorpresa —le dije—. ¡Una función de teatro para usted!

—¿Ah, sí? —dijo medio evaporada, y de repente se enchufó: —¡Claro! Vi el letrero. Tenemos que hablar —dijo con voz grave, y se fue a la cocina a preparar la entrada.

A las siete y diez llegó la mamá del Jolly, la Veracruz, su empleada y los Rebolledo, que cuidan ahora el sitio. Los hice subir y fue a llamar a la mamá.

—Mamá, va a empezar la función. Aquí tiene el programa. Usted no paga.

—¡Ah¡ Tu comedia... —dijo con voz cansada.

—No se preocupe, está lista y la gente arriba esperándola.

—¿A mí? ¿Arriba? ¿Por qué arriba?

—Ahí está la sorpresa...

Subimos. Era en el cuarto de baño, naturalmente, y la tina estaba llena, porque era el mar. La cortina corrida, era el telón.

Las aposentadurías estaban ocupadas con los espectadores, pero le hicieron hueco a la mamá en el W.C. y la mamá del Jolly ocupó el bidé. Encendí las luces y corrí el telón.

No sé lo que pasó. La Ji y el Jolly, que estaban en alta mar embravecida, parecían perros mojados y el Jolly se equivocó y dijo las palabras de la Ji y a la Ji le dio por estornudar y estornudar. Total, nadie entendió nada y la mamá me retó porque a la Ji le dio fiebre de garganta, y la mamá me echó la culpa a mí cuando ella fue la que se demoró tanto en subir. Yo pienso que esto debe ser lo que llaman desengaños de la vida. Uno quiere hacer una sorpresa feliz para otro, y ese otro lo reta a uno.

Cuando uno está en el colegio y además tiene una hermana chica que aparecer, ni hay tiempo de escribir. Apenitas los días de fiesta. Hoy fue un domingo medio trágico. El papá y la mamá salieron a misa y no volvieron. A la hora del almuerzo la Domi dijo:

—Con la de accidentes que pasan todos los días, no tiene nada de raro... —y puso en la radio la onda policial. Oímos siete choques, cuatro incendios, dos robos, un envenenamiento y dos puñaladas de venganza. Pero de la mamá nada dijo.

—No importa —dijo la Domi—. Ésos son los hechos de policía del amanecer. Más tarde dan los de la mañana.

—¿A qué hora?

—A las tres. Y más vale almorzar y se sentó a la mesa en el asiento de la mamá. Pero yo ni quería comer. Tenía adentro una cuestión parecida a los remordimientos. ¿Estaríamos huérfanos? Me dominaba y trataba de pensar como un hombre, pero lo malo es que no podía tragar. Claro que si el papá y la mamá murieron a la vuelta de misa, estarían en el cielo. No debía preocuparme por ellos. Tampoco de mí, porque soy hombre. Pero ¿y la pobre Ji? Huérfana antes de cumplir tres años... Y entonces me di cuenta de que ella no estaba en el comedor, y lo peor es que nadie me decía que la buscara. Eso me dio congoja.

—¿Dónde te habías metido? —le dije cuando volvió.

—Salí a caballo en un caracol y me aburrí.

—¡Ah!

—Después monté a caballo en una abeja, pero le dio por darle vuelta a una flor y me mareé.

—¡Ah!

—Entonces me trepé en un gusano y se volvió mariposa...

La Ji es despistada. No tiene cachativa. No comprende lo que nos pasa. Ni se fija que yo contesto puramente ¡Ah! porque estoy preocupado.

La llevé al escritorio del papá. Tan bueno que era el pobre y tan desordenado. Mañana le ordenaría sus papeles. Hoy no podía con el tremendo cototo. Lo mejor era salir a la calle porque en la calle no se llora. Caminamos con la Ji, dos huérfanos como todos los huérfanos. Entré a la iglesia con ella y le pedí a Dios que nos llevara a todos al cielo de una vez. Pero Dios está tan ocupado los días domingo, que no me oyó. Cuando volví a la casa le dije a la Domi:

—Me voy a acostar. No tengo hambre.

—¿Por qué? Le tengo pollo guardado de ayer...

—Tú sabes por qué —le dije mirando al suelo.

—¡Ni sospecho!

—Por la cuestión del accidente... —y me largué a llorar porque ya no podía aguantar más. Pero lloré como un hombre, casi puros mocos.

La Ji me abrazó las piernas cariñosa, pero nos caímos.

—¿El accidente? ¡Ay! Pero si se me había olvidado decirle que cuando estábamos almorzando llamó la señora para avisar que estaba invitada a almorzar con el caballero en el campo y llegaría en la noche...

Total, yo había sufrido, envejecido, tragado cototo el día entero y todo gratis. Me vino una cosa como de ascensor adentro y tuve que darme siete vueltas de carnero y después me comí todo el pollo y hasta chupé los huesos.

LA MAMÁ DEL JOLLY iba a salir por el fin de semana con su marido y la guagua, y le pidió a la mamá que me dejara ir a vivir a su casa para acompañar al Jolly hasta su vuelta.

—Jolly no ser invitado —dijo—, Jolly muy feliz con Papelucho y Veracruz en casa.

Mientras almorzábamos la mamá le explicó al papá la cuestión del convite y terminó diciendo:

—Como hay que ayudar a la alianza para el progreso, le di permiso.

—Muy mal hecho, con las notas que tiene... —dijo el papá poniendo cara de escofina.

—Papá, no se habla con la boca llena —dijo la Ji.

El papá la miró desconsoladamente, tragó su comida y no le contestó.

—Te arrepentirás de haberle dado permiso —le dijo a la mamá. Es lo malo del papá. Es profeta, pero profetiza puramente desastres.

Pero acabandito el almuerzo arreglé mis maletas con todo lo que uno necesita para viajar y atravesé la calle. ¡Jolly y yo éramos los dueños de todo! Así que para no perder tiempo enchufamos la televisión, la radio, la waflera, la heladera, el tren eléctrico, la secadora y la enceradora. Había un enchufe para casa cosa, y la casa entera zumbaba de ruidos, olores, luces, voces y estáticos.

¡Era el despipe! Cuando de repente, ¡plop! Silencio y oscuridad. Se habían quemado los tapones. Un descriterio que hizo mal la instalación... Por suerte la Veracruz es de esa gente que no se confunde ni le importa mucho ninguna cosa. Sacó una vela, la encendió, y como se acabó luego porque era chica, nos tuvimos que dormir. Pero claro que dormimos a la americana, que uno sueña fantástico.

Cuando despertamos era un sábado y era mediodía en Chile, dijo la radio a pila. La Veracruz también se había quedado dormida y se había pasado la hora del desayuno y del colegio.

Pero a mí me carga ayudar a cumplir las profecías del papá, así que le dije al Jolly:

—Vamos de todos modos, aunque sea tarde —y partimos.

—Muestren el justificativo —dijo el Chuleta Pardo.

—No tenemos —le contesté—. Es mejor que nos castigue.

Pero él se quedó paralelo.

—Al menos expliquen algo de su atraso —dijo impermeable.

—Yo cambié de casa y de costumbres. Nadie nos despertó.

—Así que si no los despiertan... ¿No tienen conciencia del deber?

—No, señor.

—¡En ese caso se quedarán los dos hasta las siete! —bufó.

Total, si estábamos los dos, no era tan peor. Miramos salir a todos. Habíamos cambiado un sueño por una tarde entera de sábado libre. La cara del Jolly parecía palo de bandera.

—¿Qué te pasa? —le pregunté.

—¿Cómo qué te pasa? ¿Tú eres feliz?

—¡Claro! Hoy lo pasamos mal, mañana toca pasarlo bien.

Siempre es así...

El Jolly ni entendió.

Nos hicieron hacer tareas y más tareas y cada hoja del cuaderno tenía cara de reloj marcando las siete. Hasta el lápiz me parecía un siete y mis tripas se habían retorcido en forma de siete.

Era la desesperación. Porque cuando el amigo de uno no entiende que más vale fregarse al tiro y gozar después, resulta casi imposible pensar en el más allá. Se ve que en Estados Unidos se vive puramente en hoy y no en mañana. No tienen confianza.

Estábamos perpetuamente solos en la clase, escribe que te escribe, cuando de repente apareció el propio Pardo. Y venía a buscarnos.

—Haremos hoy una excepción con ustedes por tratarse de algo grave —dijo rastrillando su garganta—. Ha venido la mamá de Papelucho a pedirnos que los dejemos ir para que encuentre a su hermanita perdida... —El pobre Chuleta parecía emulsionado y nos dejó partir con el Jolly, uno de cada mano de la mamá, que lloraba sin poder sonarse por tener sus manos ocupadas con nosotros.

—¿Cuándo vio a la Ji por última vez? —le pregunté.

—Habíamos ido juntas al mercado —sollozó.

—¿A qué mercado? ¿Al persa o al supermercado? ¿No iba en el carrito?

—No. Lo han prohibido. Estaba a mi lado... y de pronto desapareció. Nadie pudo encontrarla.

—¿Usted estaba comprando champú o cremas?

—¿Cómo los sabes?

—Entonces la Ji está entre los helados...

Y ahí estaba. Un poquito petrificada, pero chorreando cremas de helados de todas clases. No sé qué hacer para que a la mamá se le ocurra que cuando ella habla de cremas, a uno le dan jugos y tiene que comer helados de crema inmediatamente.

EL JOLLY ES DE ESA GENTE que se le queda escrito en la memoria todo lo que uno dice, así que en lo mejor que estábamos en la piscina de su casa, asomó su cabeza rubia del agua y me preguntó:

—Tú, ¿eres feliz?

—¡Claro! ¿No te dije ayer que hoy tocaba un día feliz? —y le hundí la cabeza hasta el fondo. Salió medio ahogado.

—¿Cómo puedes ser feliz si mañana toca que salga todo malo?

—Es que no es obligación que sea malo, tampoco pienso en mañana...

—Pero ayer pensabas en hoy para ser feliz —reclamó.

—Claro, y hoy pienso en pasado mañana, que toca día feliz.

—Eres raro —me dijo—. No entiendo...

—Yo tampoco te endiendo —le contesté—. En buenas cuentas, ¿quieres ser feliz o no?

—Naturalmente, pero todos los días...

—En ese caso, no pienses en antes, sólo piensa en ¡Ya! si tienes proyectos de felicidad, piensa en ellos ¡Bah!, y me salió verso. —Ni tenía la mayor idea de que yo era poeta, porque no soy vanidoso. Al Jolly le gustó mi verso y lo copió para ser feliz siempre.

Pero no terminó con eso, al poco rato empezó otra vez con la cuestión de la felicidad, y hablando y hablando decidimos que uno es requete feliz cuando recibe regalos. Entonces formamos una sociedad que se llama Regalatis Gratis y nosotros los socios somos los Recibitis Tutis, y la obligación es darles regalos a los Recibitis Tutis todos los días. Pensamos que mientras más Recibitis Tutis hay en la sociedad más regalos vamos a recibir todos los días, así que vamos a juntar socios. Yo le regalé hoy al Jolly las ruedas de mis patines porque ellos se perdieron y él me regaló su rifle a postones y fuimos bien felices los dos. Aunque el Jolly es de esa gente que no sabe qué hacer con cuatro ruedas, y lo que pasa es que sin ruedas no se puede hacer nada.

En fin, que si éramos tan felices con un solo regalo, cómo seríamos de felices con cien, así que al otro día empezamos a contratar socios y más socios en el colegio y a todos les parecía una idea genial y que cómo no se le habría ocurrido antes a alguien, y bla, bla, bla, y nosotros estábamos seguros de que éramos genios. En la tarde ya había 151 socios Recibitus Titus y nos sentíamos felices de recibir 151 regalos cada uno, cuando de repente nos dimos cuenta de que teníamos que buscar otros 151 regalos para dar y decidimos clotiar la sociedad. Porque tener que conseguirse 151 porquerías para recibir otras 151 mugres, no valía la pena...

ME COSTÓ BASTANTE EL LUNES acostumbrarme otra vez en mi casa después de haber "casi" vivido en Estados Unidos dos días enteros. Porque en la casa del Jolly se comía distinto, se dormía distinto, se olía distinto. Y no había que pedirle permiso a nadie, y había piscina permanente con pasto tibio alrededor, especial para dormir. Allá todos los días eran diferentes y en mi casa todos los días son iguales y el olor de la cocina es idéntico siempre. Lo único que pasaba antes de sorpresa era que se perdía la Ji, pero ahora que le han puesto una pulsera con cascabeles ni siquiera se pierde. Y el día entero se oye la sonajera...

Con esto de que me volví poeta, me ha dado por escribir versos, pero casi ni se me ocurren con la bullita de casca-

beles. Así que me encierro en el baño a escribir, porque antes, cuando era chico, me venían todas las ideas ahí, y me contaba cuentos estupendos, que dejaba en suspenso para el otro día, y me daba tanta curiosidad saber lo que iba a pasar que a cada rato tenía que volver al baño.

Y hoy, apenitas me encerré, golpearon la puerta.

—¿Estás ahí?

—Sabes que estoy aquí, ¿qué quieres, Jimena?

—¡Lo mismo que tú!

—Yo estoy escribiendo... —oigo su pasos que se alejan y pienso que es una suerte que no sepa escribir. Pero al poquito rato está de vuelta.

—¡Oye, Papelucho! ¿Cómo se escribe "había una vez una Caperucita"?

—¡Después te enseño! —Chillo rabioso.

—Oye, necesito entrar...

Le abro. Viene con mi cuaderno de aritmética y mi lapicera, seguramente a escribir su cuento. Se lo quitó y le explico que es mío.

—Yo te lo estoy cuidando —dice.

—Lo que debías cuidar es que no me irrupan cuando estoy poeta.

—Escribe no más, yo cuidaré la puerta —y yo entro de nuevo. Pero mis ideas se han ido y me aburro de buscarlas. Entonces trato de salir y la puerta está con llave. Golpeo, pateo, grito, nadie abre.

Es la hora de la teleserie y mientras no termine, la Domi no me oirá. Mi famosa hermanita me ha encerrado, perpetuamente... Y pasan las horas. Me baño en lluvia, en tina, aguanto bajo el agua como un año, buceo mejor que nadie y hasta aprendo a disparar agua por las orejas. Me seco al aire y tirito. Tengo las manos y los pies albos y arrugados. Por fin me visto. Me afeito eléctricamente. Me engomino. Me tapo un diente picado, y todavía no se termina la teleserie. Un cuarto de baño da para una hora, pero no para un día entero...

Empiezo a arreglar cosas y también la challa de la lluvia, para que quede "medicinal", como debe ser. Pero se me inunda el cuarto y también el techo. El suelo se ve brillante y bonito, y sirve para lavarlo, pero el techo gotea y gotea y gotea. Ya no vuelvo a llamar para que abran. Prefiero esperar que se sequen las goteras o que al menos se paren, porque es fijo que me echarán la culpa, aunque sea la Ji la verdadera culpable.

"Alguien" trata de abrir... Yo ni respiro.

—¿Quién está dentro? —es la voz de la mamá. No puedo contestar. Se me ha olvidado hablar en tanto tiempo que llevo ahí encerrado.

—¡Abre, niño! Ya veo que estás escribiendo —dice, como quien dijera "ya veo que estás asesinando otra vez a alguien". Menos puedo hablar porque me siento ofendido.

—¡Abre esa puerta! —ordena.

—No puedo, está cerrada por fuera.

—¿Y dónde está la llave?

—Si lo supiera ya no estaría aquí. Llevo mil horas encerrado...

Se oye la voz de la Domi, los cascabeles de la Ji, la confusión de la mamá, las preguntas sin fin. Yo estoy rezando porque la llave no aparezca todavía, para que el techo cese de gotear.

—Papelucho —sopla la voz de la Ji por el ojo de la llave—, escribe no más poesía. Eché la llave por el desagüe del lavaplatos.

Respiré tranquilo. Alcanzaría a secarse todo mientras la Domi iba a buscar al cerrajero. Y para no aburrirme, hice mil buquecitos de papel que corrían carreras por el agua, lacios, deshechos, iban cayendo uno por uno desmayados. Y yo les escribí un verso:

Buquecitos de papel confort
Que calladitos sufriendo
Van silenciosos sorbiendo
Y humildes se van hundiendo
Para salvar el honor.

Terminó el verso y la puerta no se abrió.

Entonces escribí otro que me sirve de composición para mi clase de Historia de mañana:

Valiente capitán de la Esmeralda,
Majestuoso en tu salto en el mar,
Te elevaste glorioso y valiente,
Viva el salto de Arturo Prat.

Y creo que con este verso por lo menos me saco un siete y además se le puede poner música de marcha y lo puede cantar todo el colegio.

PERO PASÉ LA NOCHE ENCERRADO. Por suerte uno soñando no tiene la obligación de saber dónde está ni por qué, y si le duele el cogote, sueña con cogoteros, pero se olvida que su cama es una tina.

Resulta que anoche no llegó el cerrajero y la Domi se aburrió de esperarlo porque andaba en un velorio. Y el papá sabrá mucho de refinar petróleo, pero no tiene ni la mayor idea de cerrajero, ni tampoco de ratero ni de nada útil en una casa con puerta cerrada.

Así que me pasaron la comida entre las rejas de la ventana.

Cuando la gente hace rejas piensa en que nadie pueda entrar a robar, pero no piensa que a veces hay que salir para no vivir encerrado. Y no cabía ni un plato entre las rejas, sino que puramente un vaso, así que comí carne en vaso, porotos en vaso y postre en ídem. Y tampoco pasó la almohada, así que hicieron un lulo con la frazada y me la metieron y tuve que hacerme la cama en la tina, así no más. Y cada vez que cerraba los ojos, me caía una gota gorda en la nariz. Es increíble que todavía gotea el techo, hoy que es mañana.

Yo recé tanto porque el cerrajero volviera temprano de su velorio que Dios me oyó mi oración y esta mañana tempranito apareció con la Domi. Y dicen que metió su ganzúa y la puerta se abrió ipso flatus.

—Señor cerrajero —le dije apenas lo vi— ¿puede venderme su ganzúa?

—Es mi capital de trabajo —dijo.

—Usted se compra otra con lo que yo le pague.

—Vale mucha plata...

—No importa. Yo creo que al papá le conviene tener su capital de trabajo —y total, alegando y alegando, me la dejó en tres lucas. Pero se le saltaron las lágrimas cuando me la entregó, porque se ve que le tenía cariño, aunque era un puro fierrecito, casi un alambre, un poquito chueco. Pero era una ganzúa de verdad, aunque el papá la despreció. Así que yo tengo ahora mi capital de trabajo y también podré entrar a todas partes sin golpear. Además, si alguien se queda encerrado en el baño, ahora no es problema.

Le tocaba salida a la mamá, así que antes de partir me llamó.

—Te prohíbo que juegues con fuego y con agua —me dijo—. Tienes que cuidar a tu hermana. Te la encargo. Y vigilarás la casa, como un verdadero patrón que cuida de su barco...

—¿Usted me está haciendo la pata?

—Lo que te estoy haciendo es responsable.

—No me gusta ser responsable de una casa que se está viniendo abajo de puro vieja.

—Me basta con que seas responsable de la Jimena del Carmen.

—Bueno, pero explíqueme lo que es ser responsable.

—Cuidar que no le pase nada. Tú respondes por ella, ¿entiendes?

—No mucho... o sea, esta noche usted me pregunta: ¿dónde está la Ji? y entonces yo le respondo: "¡aquí está!".

Partió por fin y me dejó paralelo, encerrado, desenfrenado con la famosa responsabilidad. Pobres mamás que siempre esperan cosas tremendas... Menos mal que yo nunca seré mamá...

Los cascabeles de la Ji repicaban a mi lado como eco de mis pasos. Yo me lateaba cumpliendo mi encargo de responsable, pero casi quería que la Ji se perdiera un rato para poder buscarla. Pero nada: tilín, tilín, y más tilín.

Obligado a pensar como si yo fuera mi propia mamá, por fin me vino una idea. Le arreglaría la casa, dejándola más encajada, más moderna, más otra. Empecé a correr meses, sofás, catres, sillas y cuestiones. Iba quedando como de revista. Me corría la gota, se me pegaba la camisa, acezaba todo entero y el tilín-tilín a mi lado de mi hermana inútil me empezó a atacar los nervios.

—¿Por qué no juegas a algo? —le dije sin mirarla—. Podrías ser la Bella Durmiente y dormirte un rato...

Cesó el tilín un momento y empezó con más furia.

—Oye, Ji, me ves que estoy ocupado —empecé y la miré furiondo. ¡No estaba! No había nadie conmigo y el dichoso tilín seguía sonando.

Era un misterio. ¿Dónde estaba metida? ¿Cómo podía sonar y ser invisible? Me rasqué la cabeza, me rasqué todo entero... ¿Era bruja mi hermana?

De repente sentí en las piernas la cosquilla del gato. Lo miré y el Teodoro también me miró a mí. Alrededor de su cogote peludo y suave colgaba la pulsera de la Ji con todas sus campanitas...

Y quién sabe desde qué hora... él me acompañaba en arreglar la casa. ¿Dónde estaba mi hermana?

Sentí un hielito por el espinazo y un hoyo en mi apéndice. Si al menos yo supiera desde qué hora y desde qué parte se había desaparecido...

Me fui a la cocina y la busqué con disimulo.

No quería que la Domi se diera cuenta de lo que me pasaba.

—¿Qué hay para el almuerzo? —le pregunté con desprecio.

—Estofado. ¿Y a usted qué le ha bajado por arrastrar los muebles?

—Me dejaron de patrón. Oye, Domi, a la Ji no le gusta el estofado.

—Tanto mejor, así dura para mañana...

—¿Hagamos empanadas? Yo soy ahora el patrón y a la Ji también le encanta hacer masas...

Yo metía a la Ji en la conversa para ver si la Domi decía algo de ella. Pero nada. Es interrumpida y no tiene antena. Cuando uno ve lo que a otro le hace falta es seña de que a uno no le falta, y por eso me dio la idea. Si el gato estaba haciendo de Ji, bien podía ser que la Ji estuviera haciendo de gato. Y el Teodoro tiene su ocupación en el tejado...

Con desprecio salí al patio y miré arriba.

Justo. Ahí estaba la Ji con su vestido enredado en la antena, tal como una mosca en una telaraña. Mientras más tironeaba, más se enredaba. La miré con sabiduría y pensé con violencia. Me dije: Si el tirón cede, la Ji se viene abajo. Si le aviso a la Domi pega un grito y... Si se queda tranquila no hay peligro.

Y entré despreciativo a la cocina. Pesqué al Teodoro, lo trepé en la ventana y lo disparé tejado arriba camino de la Ji. Y, tal como pensaba, a la Ji se le olvidó la cuestión del enredo del vestido y se sentó bien cómoda en el cogollo del tejado a jugar con el gato. Entonces yo me saqué apasionadamente los zapatos, trepé por el peral y también llegué arriba sin mucha novedad. Los tejados son calientes y queman en los hoyos de los calcetines y por eso uno sube tan ligero.

—¡Qué rico se está aquí!, ¿no? —le dije a la Ji para que no se moviera.

—El Teodoro me mintió —dijo la Ji— me dijo que me tenía una sorpresa.

—Todos los gatos son mentirosos —contesté mientras pensaba cómo podríamos bajar sin quemarnos lo importante.

—Y tampoco me gusta vivir en el tejado, es resbaloso —dijo la Ji— ¿Nunca podremos bajar?

—De bajar, podemos —le contesté desconsolada-mente—, pero duele un poco llegar abajo. ¿Te importa mucho el dolor?

—¿Cuál dolor?

—El peor dolor —le dije de una vez. La Ji hizo pucheros y le asomaron lágrimas.

—Oye, todavía no hemos bajado —le dije consolándola—. No te duele. Pero si quieres bajar, hay que ser valiente. Como los mártires...

—A mí me encanta ser mártir —dijo ella tiznándose la cara con sus manos mugrientas que barrían las lágrimas—. ¿A ti también te gusta?

Miré el tejado caliente y resbaloso; miré el suelo tan abajo. ¿Qué apuro había en bajar? Se puede pasar bastante bien en un tejado si uno se queda arriba. Hay aire, sol, se está cerca del cielo y hasta se mira la calle como si uno volará en un avión. A mí me gustaba y me había acostumbrado. Y antes que fuera noche, tal vez podríamos hacer un paracaídas con los alambres de la antena y la pollera de la Ji.

—Tú te quedas montada sin moverte —le dije a la Ji—. Yo voy a trabajar y tú me miras... —y empecé a tironear la antena para armar el paracaídas. Se aflojó una cuestioncita y rodó techo abajo. A mil por minuto. Cayó encima del cartero y el muy merengue se sobó y miró arriba. Claro que nos vio, y como era un cartero de esos rabiosos y mal pensados nos mando garabatos. Y un señor que iba pasando también miró, y la Veracruz, que estaba con el lechero, también miró, y el lechero, hasta que todo se volvía ojos allá abajo. Porque hasta el carabinero que le está enseñando alfabetización a la Domi apareció. Y se paró un auto, y otro y otro, y era como un choque o accidente, pero ligerito pareció un verdadero incendio porque el carabinero inventó llamar a los bomberos y llegó la Sexta, acezando, piteando, toda brillante y dorada y roja con sus inmensas escaleras que llegan hasta el cielo.

"¡Que nadie se mueva!", nos ordenó un señor viejo de más de veinte años que se creía Arturo Prat. ¡Sujeta firme a tu hermana mientras voy a buscarlos!

Y yo por sujetarla obedeciendo al bombero, empujé un poco al Teodoro y rodó como un chifle por el tejado echando chispas de cosmonauta. Pero al llegar abajo partió corriendo... Total, cuando nos bajaron los bomberos había tanta gente en la calle y tantos fotógrafos que vamos a salir en los diarios y a la Domi le van a traer un álbum de puras fotos.

La mamá del Jolly nos invitó a almorzar, y para poder jugar tranquilos sin buscar a la Ji la disfrazamos de almohada, la convencimos de que era almohada y la acostamos tapadita en una cama. Tapada con el cubrecama ni se veía casi, y se durmió y no vino a despertar sino cuando la Veracruz se acostó a dormir siesta con roscos de peluquería y le enterró sus rollos.

Cuando volví, me encontré con que a la mamá no le había gustado nada mi arreglo de la casa. Dijo que era de sastre, aunque al papá le gustó porque era "un cambio", y ya que no podemos viajar, al menos podemos cambiar de estilo. Total que a la mamá le dio contra mí y dijo que yo era un dominante igual que el papá. Al papá le cayó bastante mal y se picó y yo también, porque lo malo es nunca saber cómo se puede hacer feliz a una mujer. Si uno no hace nada, lo retan, y si uno hace algo, ídem. Yo creo que lo mejor es ser marino, sin casa, sin señora, sin oficina. Uno llega de visita, como Javier, y aunque es un puro mote en la Escuela Naval, lo reverencian igual que fuera almirante. Le celebran todo lo que dice y después lo vuelven a contar. Uno no es envidioso, pero se pone raro de ver tanta injusticia. Porque él tiene uniforme nuevo, pantalón largo, gorra con visera y chaqueta con botones de oro.

Y yo, mientras tanto, su ropa vieja arrugada, desteñida y con olor a rotativo. Y cuando estaba asfixiado de sentir ese olor que no era el mío resulta que entró la Ji al comedor y me pasó por debajo de la mesa una cuestioncita caliente, peluda y viva. Pensé que era una araña, o tal vez un ratón con parálisis, y me quedé callado. La cuestioncita se movía poco en mi bolsillo, pero al ratito llegó otra vez la Ji y me pasó otra igual. Tenía como uñitas y se enredaba en el pantalón. "Debe ser un coleóptero" pensé, y en ese mismo momento apareció la Ji y puso en mis rodillas dos cuestioncitas más. ¿De dónde las sacaría? Parecían húmedas, suaves... Eran muchas y me las metí en la polera. Con disimulo me levanté agachado y salí.

—¿Adónde vas, Papelucho? —preguntó la mamá. Pero el papá me defendía hoy.

—No le hagas decir adónde va, hija. ¡Lo estamos educando! —y me guiñó el ojo picarón.

Salí agachado y corriendo. La curiosidad era grande por saber lo que llevaba y apenitas llegué afuera me levanté la polera. Tres gatitos overos, flacos, peludos, mojados, con ojitos apretados, se enredaban en mi camiseta...

—Hay muchos más en el cajón del azúcar —me dijo la Ji.

—¿Entonces el Teodoro era Teodora? —le pregunté corriendo a la despensa. Ahí, revolviéndose en la pegajosa azúcar, había como cien más. La Teodora los miraba y me miraba a mí, como reclamando los gatitos que tenía yo. Parecía orgullosa y contenta.

—Tráele un vaso de leche —le dije a la Ji—. Leche con cerveza, mejor...

La Ji volvió ligerito y la Teodora no despreció el trago y lengüeteó el desparramo. Aproveché para contar su familia. Eran nueve, pero cinco no se movían ya. Estaban fallecidos, lacios, blandos, totalmente indelebles. Los otros cuatro comían de la gata. Esos gatitos crecerían y tendrían cada uno nueve gatitas más, y esas nueve, nueve cada una, y así paulatinamente los dos con la Ji podríamos tener un supermercado de gatitos, con reparto a domicilio.

Pero ¿qué hacer con los muertos?

Creí que les convenía un electroshock, pero no los resucitó nada y se quemaron los tapones. Pensé: "Hay que llorarlos, rezarlos y enterrarlos". Así que les prendimos una vela y les cantamos "Noche de paz" y "Aleluya". Y cuando estábamos en lo mejor, llegó la Domi con su mal carácter y los tiró al tarro de basura. Y dijo que yo era un hereje y que los animales no tienen alma y cuando se mueren puramente se mueren y se acabó. Pero yo no le creo mucho, porque la Domi es lo menos sabia que hay.

Por eso me fui donde mi amigo el zapatero, que es un gallo que sabe todos los secretos del mundo porque ha vivido cuarenta y ocho años que es casi cincuenta. Y también ha sido de todo: caballero, marinero, ratero, carcelero, masajista, adivino, curandero, cogotero, violinista ciego, presidente de algo, chantajista y paralítico. Ahora es zapatero y plomero, porque dice que a su edad más vale estar sentado. Y arregla los zapatos de un rey o de un pobre igual, aunque no tan igual porque a los ricos les deja siempre un clavito parado para que les sirva de penitencia, o al menos les rompa el calcetín. Dice que cuando él era joven, le habría gustado ser Dios, pero se convenció de que era muy difícil porque nadie coopera. Así que ahora es zapatero-secretario de Dios, y como zapatero también puede hacer justicia en los pies.

Le conté la cuestión de los gatitos y lo que me dijo la Domi, y mirándome por encima del anteojo quebrado dijo:

—Los gatos tienen siete vidas. A ésos les queda todavía seis...

—¿Y después que enteren las siete vidas, qué?

—¿Te parece poco vivir siete veces? Los hombres viven una sola.

—Pero tenemos la otra, la eterna, y ellos no, dice la Domi.

—Ellos se dan todos los gustos en estas siete vidas. No tienen conciencia. Tú y yo la tenemos.

—¿Eso quiere decir que no nos damos gusto en esta vida? ¿O que no nos resultan los que nos queremos dar?

—Quiero decir que los gatos no van al colegio ni a la cárcel, ni trabajan tampoco. ¿Has visto algún gato zapatero?

—No. Ahora le entiendo lo que me quiere decir. Cuando usted era ladrón vivía como los gatos. No tenía conciencia. ¿Cómo le salió después? ¿A los gatos no les sale jamás?

—Jamás. Y no me sigas preguntando porque tengo que trabajar.

—Pero puede trabajar hablando...

—No puedo. Para hablar tengo que pensar y trabajando...

—Uno piensa con la pura cabeza.

Se quedó mudo y comenzó a clavar con furia un zapato.

—¿Ese zapato es de un rico? —pregunté.

—Este zapato es de un cojo —dijo, parando de golpear—. De un cojo rico. Le pongo la mejor suela para que pise firme. Tener una sola pierna es tener menos que un pobre...

—Los gatos no son pobres ni ricos, son puramente gatos. ¿Para qué los hizo Dios?

Dejó el martillo y me miró sin anteojos.

—Los hizo para comerse a los ratones —dijo.

—¿Y para qué hizo los ratones?

—Para entretener a los gatos, para aprovechar las ratoneras, las cuevas y las trampas. ¡Ahora lárgate y no sigas preguntando!

Pescó otro clavo y se largó a martillear y yo me tuve que ir con todas mis preguntas.

CUANDO LLEGUÉ A MI CASA ya era noche. La calle estaba llena de cosas entretenidas y ni me di cuenta cuando se acabó el día. En una esquina había un auto chocado y un gran montón de gente que alegaba a un tiempo gritando cada vez más. El auto estaba solo. ¿Contra qué habría chocado? Era todo un misterio...

Tratando de entender lo que decían, de adivinar cómo puede chocar solo un auto cuando no hay otro, me abrí paso entre los furiosos. Olían a acetona de lo puro enojados.

De repente un señor le mandó un puñete a otro que sonó como un cohete. Fue la señal y empezaron zumbar las cachetadas encima de mi cabeza. Sonaban pelotazos y los hombres acezaban resoplando a compás. Era un jazz electrónico acompañado de gritos de mujeres.

De otro repente no había nadie en la calle y mágicamente habían desaparecido matones, gritonas y curiosos. No había nada ahí más que el auto chocado, un carabinero y yo.

—¿Qué pasó aquí? —me preguntó el oficial.

—Ese auto chocó —le contesté apasionadamente, mostrándole el montón de latas arrugadas.

—Tendrás que venir conmigo a declarar —dijo el uniformado, pescándome de una oreja. Yo miré a todos lados, pero no había nadie.

—Así que robando autos a tu edad... ¡Ya aprenderás a colérico! —y de un tirón me trepó en su moto.

No me gustó el carabinero, pero su moto sí. Y resultaba rico correr a todo chifle por las calles haciendo sonar la sirena. Pero yo no quería ir a la cárcel, así que me solté de las manos y las piernas y me dejé volar en una curva. Cuando uno quiere caerse, ni duele el costalazo, y cuando hay que correr, menos se siente.

Iba feliz corriendo cuando una mano misteriosa me atajó. Era un caballero que venía en un taxi, y tal como película de gángster, me pescó, me elevó y me sentó a su lado.

—¿Qué le dijiste a ese carabinero? —preguntó resoplando.

—¿Yo? Le dije: "ese auto chocó".

—¿Y qué más?

—Nada más, porque él se lo habló todo.

El caballero del auto tenía un ojo estilo criadilla y sangre de narices. Si su mamá lo hubiera visto así le habría puesto compresas.

—Bájate, corre a tu casa y no hables con nadie hasta mañana —me ordenó y me dejó en la vereda paralelo. Sólo entonces me di cuenta de que era uno de los que había estado peleando. Seguramente el otro habría sido asesinado, por la cara que tenía el asesino. El auto partió a chorro.

Llegué a la casa y estaba la Domi con el electricista. Él trataba de quitarle los tapones y ella los escondía en su delantal. Ya había luz en la casa y la Ji estaba en la cocina dándoles sopita a los gatitos vivos. Los muertos los había sacado del tarro de basura y los tenía todos untados con Mentholatum.

—Cuando llegue la mamá los va a mejorar —me dijo—, pero yo creo que si tú trajeras una lauchita resucitarían...

La pobre Ji es inocente. No sabe nada de la muerte. Además, ¿cómo consolarla diciéndole que los gatos estaban en mejor vida, cuando no tienen alma?

—Oye, Ji —le dije—, los gatos tienen siete vidas, pero para nacer de nuevo tienen que morir. A ellos les encanta nacer, pero hay que dejarlos muertos para que nazcan y hay que dejar que nazcan para que mueran. ¿Entiendes?

—¡Sí! —me dijo con ojos de Rapuncel—. Matemos a los demás para que puedan nacer de nuevo.

Yo creo que la Ji va a ser siempre atrasada de noticias, porque ella nació con los alambres pelados.

RESULTA QUE LA DOMI SALIÓ de vacaciones y la mamá trajo a una tal Tila para su reemplazo. Al papá le gustó el primer día.

—Tiene buena presencia —le dijo a la mamá cuando la vio.

¿Por qué no la dejas a firme?

Pero a la hora de almuerzo ya estaba reclamando.

—¿Dónde encontraste esta calamidad? Es totalmente interrumpida.

—Papá, ¿qué quiere decir interrumpida? —preguntó la Ji.

—Voy a darte un ejemplo —le contestó el papá—. Tila, tráigame vino, por favor...

Entonces la Tila le trajo un cenicero.

—¿Comprendes? —le dijo el papá a la Ji. Y la Ji comprendió.

—Tú dijiste ayer que tenía buena presencia —dije yo—. ¿Hoy tiene mala ausencia?

—Tú no te metas —dijo la mamá, y nos quedamos mudos mientras la Tila servía los porotos. El papá se llevó a la boca una gran cucharada y puso cara tremenda. Hizo una arcada y salió del comedor a toda vela. Cuando volvió venía pálido.

—¡Están envenenados! —y se apuró un vaso de vino. La mamá los probó con los puros labios pintados.

—Los cocinó con azúcar en vez de sal —dijo muy amable—. Es cuestión de costumbre. Creo que en Alemania los guisan así.

—¡Estamos en Chile! —bufó el papá— ¡Que traigan otra cosa!

La mamá partió amable a la cocina y cuando volvió, el papá dijo:

—Mientras esté aquí este pájaro comeremos todo de tarro. ¡No quiero envenenamientos!

Era la solución. Por fin íbamos a comer sardinas y duraznos al jugo. Pero la Tila trajo las sardinas hechas sopas calientes. Yo pensé: "fijo que hace empanadas con los duraznos al jugo". El papá parecía con pataleta. Tiró su servilleta y miró al techo como si ahí fuera a encontrar jamón. La mamá se levantó de nuevo, menos amable, y se demoró un buen rato en la cocina. Mientras tanto al papá le dio por tocar piano en la mesa y la Ji lo trataba de imitar. Nadie hablabla.

Apareció la mamá con un inmenso montón de huevos revueltos y los comimos todos calladitos. Era una mesa de mudos. La Ji preguntó:

—¿Cómo se llaman estos huevos tan ricos?

—Huevos en silencio —dijo la mamá y salió a buscar el postre.

Pero no volvió nunca más.

Por fin se levantó el papá y nosotros lo seguimos. En la cocina la mamá trataba de consolar a la Tila, que lloraba con hipo.

—Me voy y me voy al tiro y nadie me puede sujetar. Son malos y me dan complejo —hipaba—. Me quieren convencer que no sé cocinar...

—Es todo lo contrario —dijo el papá—. Somos nosotros los que no sabemos comer bueno. Pero nadie la sujeta...

La Tila siguió llorando, se sacó el delantal y partió. Cuando entró la mamá al comedor con los duraznos, ya el papá se había ido a la oficina y los dos con la Ji tuvimos que comernos toda la fuente. La mamá estaba muda. Me dio pena.

—Mamá, no se preocupe, yo le lavo los platos —le dije.

—Y te encargas de cuidar a tu hermana mientras voy a la agencia a conseguir empleada —y partió.

Así que cuando terminamos, entre los dos con la Ji levantamos las cosas de la mesa y organizamos un lavado de platos electrónico. Pusimos todo en el suelo, y le disparamos el chorro de agua con la manguera del jardín. Era perfecto. Mientras volvía la mamá todo estaría seco, así que dejé a la Ji cuidando la sequía y partí a escribir mi diario. Pero cuando volví resulta que la Ji había discurrido lavar toda la cocina entera y ya empezaba a lavar el comedor. Era el verdadero diluvio y la Ji un Noé, pero empapado.

Rápidamente fui a buscar el secador de pelo y la aspiradora para secar todo eso. Pero sonó el timbre y por suerte era el Efrén Ulloa que venía a pedir una aspirina.

—¡Chitas! —dijo cuando vio el problema—. ¿Están haciendo un tranque?

Total, que se ofreció para ayudarnos y con la escoba en un minuto barrió toda el agua. A la Ji le brillaban los ojitos.

—Quiero casarme contigo —le dijo al Efrén—. Papelucho es retonto al lado tuyo.

Tenía razón. A mí no se me habría ocurrido la cuestión de la escoba. Efrén es un gallo admirable y ojalá se casara con la Ji cuando sean grandes. La Ji lo tenía pescado de la mano y lo miraba como la losa radiante. Efrén se había puesto colorado y trataba de librarse de su mano.

—¿Me vas a dar la aspirina?

Fui a buscarla y me encontré con la mamá que venía llegando muy cansada.

—Todo el mundo tiene vacaciones menos una dueña de casa —dijo con envidia y se acostó en la cama con ganas de llorar—. No encontré empleada y tendré que hacerlo todo yo...

—¡Tengo la absolución! —clamé yo—. Efrén Ulloa está ahí y puede ayudarnos. Es una especie de genio... —me acordé de la Ji— ¡Sabe de todo!

La mamá saltó de la cama feliz.

—Efrén Ulloa —le dijo sonrisosa— ¿te darían permiso en tu casa para ayudarnos un par de semanas? Estamos sin empleada, pero aquí todo es sencillo. ¿Sabes algo de aseo? Eres tan amigo de Papelucho, y entre él y yo te ayudamos.

La Ji se le abrazó de las piernas al Efrén y le dijo suplicante:

—Di que sí, Lucifer, di que sí...

—¿Por qué lo llamas Lucifer? —preguntó la mamá.

—Es lindo nombre... como él —dijo la Ji sonrosándose.

—El demonio se llama Lucifer —explicó la mamá todavía contenta—. ¿Qué me dices, Efrén?

Pero Efrén tenía los ojos clavados en un montón de salchichas que había traído la mamá. Estaba telepateado por ellas.

—Mande —fue lo único que dijo, y la mamá empezó a mandar y no paró hasta que nos sentamos a comer.

Efrén resultó la maravilla y cuando llegó el papá al comedor, entró de garzón, con la fuente de salchichas, muy de pantalón negro y chaqueta de huaso del papá. Uno se sentía en restaurante.

Sirvió a la mamá y ella hizo los platos para todos. Apenitas terminó, Efrén voló con la fuente a la cocina. Perfecto.

—¿Alguien quiere repetirse? —preguntó la mamá, y resulta que todos quisimos, porque estaba exquisito.

—Trae la fuente otra vez, Efrén —dijo el papá. Y Efrén la trajo. Pero venía pelada.

—Quieren servirse más —explicó la mamá, amable.

—No hay más —dijo Efrén—. Ya me comí las sobras.

—¿Tan ligero? —preguntó la Ji. Pero la mamá no dijo ni pío y el papá tosió.

—Trae el postre —dijo entonces la mamá, y por suerte era una sandía de tamaño familiar, así que alcanzó.

Después de la comida ayudamos al Efrén a quitar la mesa y lavar todo y él se comió hasta las cáscaras de la sandía para no dejar basura. Después se fue a acostar a la pieza de servicio en su traje de garzón.

ESTA MAÑANA DESPERTÉ FELIZ porque me acordé que teníamos de alojado a Efrén, un amigo de verdad porque hacía feliz a la mamá.

No lo encontré en ninguna parte hasta que por fin fui a su cuarto y ahí estaba durmiendo a pierna suelta con los brazos muy abiertos.

—¿Por qué duermes con los brazos abiertos? —le pregunté cuando por fin despertó.

—Para saber que estoy solo en la cama. Nunca había dormido así —dijo.

—Hay que hacer el aseo —le digo— la mamá salió a comprar...

Metió su cabeza en el lavatorio y chorreando agua se pasó el peine. Quedó impecable, pero bastante mojado.

Recorrimos la casa y la encontramos tan limpia que no había más que soplar unas pocas cositas y listo. Así que nos sentamos a jugar a las damas y cuando llegó la mamá encontró la casa "soplada" y nos felicitó. Pero apenas nos felicitó empezó de nuevo a mandar a Efrén de un lado a otro. Había traído montañas de paquetes porque el papá tenía invitados a almorzar y de cada papel salía una sorpresa macanuda.

—Pongan siete asientos en la mesa —ordenó la mamá, y empezó el acarreo, un plato cada uno. Pero chocábamos todos en la puerta.

—Deben llevar tres platos cada vez y no hacer tantos viajes —dijo la mamá. Obedecimos, pero justo chocamos con más fuerza y ahí quedó la crema.

—Yo llevaré las copas —dijo la mamá cuando paró de retarnos—. Lleven ustedes los cubiertos.

Uno por uno fuimos llevando cada cuchillo y tenedor y la puerta chillaba cada vez que se abría o se cerraba. La mamá estaba nerviosa...

—¡Hasta cuándo, Dios mío! —reventó de repente, y tapándose los oídos entró en el comedor y desordenó todo lo que habíamos hecho. La mamá es de esa gente que no tiene confianza más que en ella.

—Tú y la Ji comerán en la cocina —decretó—. Éste es un almuerzo de etiqueta.

Armó unas fuentes de revista, con las cosas más ricas y más lindas. Por fin partió a peinarse. Entonces la Ji y yo nos sentamos a almorzar. Comimos pollo, aceitunas, papitas en bola, arvejitas enanas. Todo estaba rico. Al poco rato sonó el timbre y fue a abrir el Efrén.

—Eran tres caballeros —dijo Efrén, y en ese momento entró la mamá a la cocina con un peinado que la hacía preciosa. Pero se armó la grande. Parece que lo que íbamos a comer nosotros no era de la fuente estilo revista. Quién sabe qué sería...

La cuestión es que la mamá casi lloraba porque nos habíamos comido el pollo y lo demás y habíamos estropeado sus arreglos. No alcanzarían las raciones. ¿Cuáles serían las raciones?

—Si al menos llegara tu papá para atender a sus amigos mientras hago aunque sea un salpicón —suspiraba y justo llegó el papá con otros dos amigos. Sus deseos se habían cumplido. Y armó otra fuente todavía más linda.

—Tú te vas a la plaza con la Ji y no vuelvas hasta la hora del té. ¿Entiendes?

—¿Y cómo voy a saber la hora del té sin reloj?

—Cuando nos suenen las tripas —dijo la Ji, y partimos obedientes.

En la plaza había un caballero durmiendo y una mosca se le paseaba entre su boca abierta y el hoyo de la nariz. Él

empezó a roncar y de un repente, con un ronquido se tragó la mosca. Y siguió roncando. Entonces yo lo desperté a remezones.

—Oiga, señor —le dije— usted se tragó la mosca y puede haber sido la mosca azul...

El caballero se largó a escupir y se fue poniendo colorado y más colorado hasta que por fin yo creo que se reventó.

—Oye, Ji —le dije a mi hermana— vámonos de aquí porque hoy estamos con mala suerte y a lo peor nos echan la culpa de su función.

Así que partimos corriendo y seguimos corriendo hasta que llegamos frente a una casa de reja con gran jardín y piscina y resbalines. Era el despipe. Nos paramos a mirar a unos chiquillos que se estaban bañando, mientras un caballero de cuerpo rosado les gritaba unas cosas. Era muy entretenido mirar y sin darse cuenta la Ji pasó su cabeza por las rejas y se le quedó al otro lado, o sea que no la pudo sacar.

No había más remedio que meter a la Ji entera al jardín para que no se degollara. La metí, pero yo quedé afuera.

En eso a la Ji le pasó con la piscina lo mismo que le pasó al Efrén con las salchichas y electrónicamente se tiró al agua como una sonámbula. Y no se vio nunca más. ¿Se habría ahogado? ¿Qué podía hacer yo para salvarla?

De un run me vino la idea y trepé por las rejas con manos escupidas, salté al jardín y corrí con violencia maquiavélica a salvarla. Abajo al fondo del agua estaba la Ji y le flotaban las mechas y le salían gorgoritos de la boca.

—¡Arriba! —le ordené pescándola de la mano, pero me llené de agua al decir "A" y empezamos a ahogarnos.

Alguien nos dio un tirón y después de tragarnos la piscina casi entera, nos encontramos en la orilla, bastante rasguñados.

El caballero rosado hacía vomitar a la Ji y los chiquillos miraban.

Reconocí a uno, era el Salem, un muchacho de mi clase.

—Estos niños no ser alumnos —dijo el señor rosado.

—¿Es tu papá? —le pregunté al Salem.

—El profesor de natación —me dijo en secreto.

—Por favor, de dónde llegar ellos —preguntaba el señor rosado.

—Mi hermana se estaba ahogando —le expliqué—. Tenía que salvarla.

—Tu hermana no ser alumna, ¿ya?

—Mí tampoco —le contesté en su idioma.

Mientras se secaba nuestra ropa nos dieron leche y sándwiches, así que era imposible saber si era la hora del té. Entretanto siguió la clase de natación. El profesor con un pito dirigía y los Salem obedecían pero pésimo. La Ji y yo los mirábamos. Era tan fácil nadar y nadie le entendía al profe su explicación. Hasta que al fin no aguanté más y antes de pensarlo me había tirado de cabeza y nadaba como un tiburón.

—¡Magnífico! —dijo el señor rosado— ¡Tú aprender! —y justo que había dicho esto se tiró la Ji, pero no le resultó. Otra vez se fue al fondo y el profesor tuvo que meterse para sacarla. Pero la fue a dejar lejos, como quien tira un sapo.

—Tú muy chica. Tú castigada por indisciplina.

Los Salem empezaron a imitarme hasta que al fin aprendieron y la Ji mientras tanto se caló la polera del profesor, que le topaba al suelo, y no quería sacársela.

—Es mía porque me la y nadie me la quita —dijo enojada.

—Och, ya, ¿pero me la prestas? —sonreía el señor.

—¡No! —dijo la Ji—. Si tú quitármela yo tirarme de nuevo piscina.

Como el profesor no conoce a mi hermana, trató de pescar su polera y antes que un estornudo estaba la Ji en el agua con chomba y todo. Tuvo que sacarla otra vez, pero le plantó dos palmadas que sonaron como campanas de incendio en mis orejas. La Ji lo miró aturdida. Era la primera vez que le pegaban.

—Bien hecho —dijo la Ji—. La ballena tener frío y tú calentarla —y le mostró sus dientes de peineta.

La Ji empezó a contar un largo cuento de cuando ella era ballena y tenía ballenitas chicas y que sé yo, pero la pesqué de la mano y me la llevé a casa. Cuando llegamos allá, se había nublado, había salido la luna y ya era de noche.

EFRÉN ULLOA SABE PARARSE en las manos y caminar así más que cien metros. También sabe echar humo por las orejas y es campeón de puntería para escupir. Canta tangos igual que la radio y hace desaparecer monedas que no aparecen más. También se puede comer un ají entero mascándolo y un durazno con cuesco y todo y hace gárgaras con vino. Ahora la mamá le enseñó a cocinar y a pasar el chancho eléctrico, pero él lo pasa sentado en el sofá y ni se mueve, y para no quebrar nada, en vez de pasar plumero, sopla fuerte. Se afeita con la máquina del papá, pero la máquina le revienta las espinillas, y cuando sale la mamá, jugamos juegos con plata de verdad.

Hoy que no había colegio y la mamá tenía canasta en casa de una amiga, aproveché para invitar a tomar té a los Ulloa y a sus primos, así que éramos once para el té. Como no había nada, pedimos cuestiones al almacén y salió súper, como una verdadera fiesta. Porque los Ulloa saben celebrarse y hacer las cosas como en una quinta de recreo, con show, números vivos y cantos, bailes, magos, etc. Cantaron dúos desabridos e hicieron circo y Efrén tragaba cuchillos mientras el Peteco pasaba un platillo de colecta. También bailamos twist y estábamos en lo mejor cuando se abrió la puer-

ta y entró la mamá. Siempre nos pasa igual, porque nadie se acuerda cuando se acaba el día.

El pobre Efrén se había quedado parado en la cabeza, mientras los invitados arrrancaban como si hubieran visto al diablo. No sé por qué se espanta la gente cuando ve a la mamá así de repente. Hasta la Ji había desaparecido, y yo me quedé solo para recoger todo.

—Explícate, Papelucho.

—Mamá, yo le diré... Primero que todo creímos que era temprano y segundo estábamos celebrando el aniversario de algo, y tercero eran los hermanos de Efrén que vinieron a verlo por un rato.

—No hay nada malo en convidar —dijo la mamá con calma—. Pero ¿por qué desordenan de ese modo?

Así es la mamá. Cuando uno está esperando un reto tremendo y un castigo, se pone suave y plástica, porque en el fondo es buena, buena y buena aunque es sorpresosa. Por ejemplo, a uno lo castiga cuando uno no tiene la mayor idea que merece un castigo, así que cuando yo creo que me van a retar, siempre canto una canción secreta que es así: Me van a retar, me van a retar, me van a retar a mí, y entonces nunca me retan.

Efrén hizo un estofado verdaderamente nuclear y el papá y la mamá se repitieron y se saborearon, así que ni se acordó más del convite.

—Este niño tiene pasta de cocinero —dijo la mamá, y ahora lo trata de "oye, hijo" y ni se enojó cuando supo que la Ji le había regalado los calcetines y la chomba del papá, sino que dijo puramente que tendría que comprar nuevos.

Lo malo es que la Ji sigue con la cuestión de que se quiere casar con Efrén, y le da y le da, hasta que la mamá resolvió matricularla en un jardín infantil, que es como colegio.

Esta mañana me tocó a mí a ir a dejarla. Había como mil mamás y mamitas y hartos niñitos llorones y mirones y una sola profesora tratando de despejar los niñitos de las mamitas.

La Ji entró muy foronda y se trepó al columpio y ahí quedó columpiándose. Cuando volví estaba todavía en lo mismo. No sé para qué la llevan a ese colegio cuando podían poner un columpio en la casa. La cuestión es que cuando por fin se bajó del famoso columpio, siguió columpiándose sin él y se veía bastante rara con ese tizne nervioso.

—¿Te columpiaste todo el día? —le pregunté.

—Claro, si me bajaba otro habría pescado el columpio...

—Eres una egoísta —dijo la mamá—. Igual que a ti te gusta columpiarte, a otros niños también.

—Los otros niños se podían caer, y yo no —dijo la Ji columpiándose en la silla del comedor, y ¡zas!, se vio abajo con silla y todo.

—¡Ah, pero no me dolió! —dijo trepándose a la silla otra vez. Pero al minuto salió del comedor. Yo la seguí y me la encontré llorando debajo de su cama.

—¿Te duele mucho? —le pregunté pensando que a lo peor estaba entera quebrada.

—No —me dijo— tengo pura pena.

—Pena ¿de qué?

—Eso es lo que no sé. Si supiera no estaría llorando... —y lloró más.

Me acordé de que era mujer y las mujeres son distintas. No iba a tratar de entenderla cuando ni ellas se entienden. Pensé que si hubiera sido hombre podría haber estado llorando de arrepentimiento, o de orgullo o de dolor. Pero como la Ji es mujer... Así que mejor le hice cosquillas y se empezó a reír y nos dio un ataque de risa a los dos y nos reímos y reímos y llorábamos de risa y de repente nos quedamos dormidos.

La Ji no quiso ir hoy al jardín infantil, y como el papá no estaba y la mamá dormía, no la pude obligar.

—Tú no me mandas y si me mandas yo no te hago caso —me dijo.

—Acuérdate del columpio...

—No quiero columpiarme, quiero que se columpien los otros niñitos.

Yo me fui. La Ji es de las que cree que uno va al colegio cuando le da la gana. Es igual que los gatos: sin conciencia. Yo llegaba a hablar solo pensando en la Ji, y hablando y hablando, llegué tarde al colegio. Me arrestaron, justo cuando los Salem me habían convidado a bañarme esta tarde. Hacía tanto calor y yo tenía inventado un modo de nadar desconocido que quería probar y tenía que ensayarlo antes de que se me olvidara. Así que decidí cambiar mi castigo para mañana y arrestarme mañana hasta las siete.

Cuando sonó la campana, salí en el montón y nadie se dio cuenta. Puramente el Chato Frías, que me esperó en la esquina.

—Tú estás castigado —me dijo—, y si te vas, te acuso...

—Te vas a quedar callado —le dije.

—Yo me callo, pero no gratis. Tenís que darme tu composición de historia.

Lo desprecié y me fui corriendo. Pero cuando llegué a la casa, ya me estaba llamando por teléfono.

—¿A qué hora me entregas la composición?

—Mañana a la entrada —y le corté. El Chato sube sus notas amenazando a todo el mundo, pero yo pienso que cuando uno quiere parecer mateo, más vale ser mateo de frentón.

Cuando terminé mi tarea de Historia la encontré reencachada. Ni sé por qué me quedó así, pero estaba perfecta. Sin borrones, sin mantequilla, sin arrugas ni arrepentimientos. ¡No se la iba a dar al Chato! Aunque me amenazara...

Me fui a jugar con los gatos. La Ji los tenía en el colegio y había hecho un columpio debajo de una silla y los columpiaba a todos juntos. Era la maravilla porque mientras más altos llegaban, más firmes parecían. Fui a contarle al papá.

—El gato tiene una fuerza de gravedad especial —comentó en difícil.

Yo sabía ya que los gatos tienen siete vidas, y, claro, teniendo siete vidas no tienen ningún miedo. Cuando no se tiene miedo, uno no se cae de ninguna parte. Pero yo tengo dos vidas y la eterna es imperdible. Así que tampoco tengo miedo, y no teniendo miedo no me caeré jamás.

Me fui entonces al columpio de la plaza y me eché vuelo. Un vuelo perisférico y cosmonáutico en que la gente y los árboles quedaban allá abajo y yo muy encima. El aire arriba en la altura era oloroso. Un señor de la plaza empezó a gritarme, pero ni le hice caso. Más alto, más fuerte el impulso, más arriba yo y el columpio... Valía la pena dar la vuelta por encima del palo y con un empeño más... ¡Bravo! me alcancé a decir, cuando...

Dicen que me aturdí, que tuve locomoción cerebral un rato y todavía me duele la cabeza. Pasé al otro lado —di la vuelta completa en el columpio—, pero se soltaron los ganchos, ¡qué sé yo!, y no pasó nada más, porque no tuve miedo. Claro que ahora estoy en cama, pero mañana o pa-

sado me podré levantar, cuando se me quite este dolor de
cabeza.

Como no iba a ir al colegio le regalé mi composición al
Chato Frías. Total, si uno puede hacer algo perfecto una
vez, puede hacerlo otra también. Y se la di porque ya no
servía su amenaza de acusarme, porque estando yo en cama
¿quién me va a castigar? Por el contrario, vino el Chuleta
Pardo a saber cómo estaba yo. Se ve que mi accidente fue
casi un hecho policial.

La cuestión es que me cuesta un poco escribir y también el doctor lo prohíbe, así que parece que van a esconder
mi diario por unos días.

Yo mientras tanto tengo que cerrar los ojos acostado y
dejar que la Ji me cuente cuentos y más cuentos, que por
suerte me hacen dormir...